Corentin

le loup,
la fille
le gâteau

l'école des loisirs
11, rue de Sèvres, Paris 6e

C'est encore l'histoire d'un ogre,
mais celle-là, elle est rigolote.

C'est donc un ogre,
un gros ogre, un gros
plein de soupe, qui revient
de la chasse. Il en ramène
un loup, une petite fille
et un gâteau.

Il est bien embêté,
l'ogre.
Le château là-bas,
de l'autre côté,
c'est chez lui,
mais pour traverser
il n'a qu'un tout
petit bateau :
il ne peut prendre
qu'un passager à la fois.

Alors il fait d'abord traverser la petite fille.
Pour que le loup ne la mange pas.

Puis, vite, vite, il revient chercher le loup avant qu'il ne mange le gâteau. Mais le loup n'a pas mangé le gâteau. Il déteste ça, les gâteaux. Pouah ! Il préfère les petites filles.

Ça, c'est bon, la petite fille.
C'est tendre, c'est sucré.
Miam-miam !

Mais, aux cris de la pauvre enfant, l'ogre a compris
les intentions du loup.
« La petite fille, c'est pour moi ! » rugit-il.
« C'est moi qui vais la manger. Allez hop !
Demi-tour ! Non mais, quel goinfre celui-là ! »

L'ogre débarque le goinfre et embarque le gâteau.

La petite fille, elle adore ça, les gâteaux.
Surtout les gros pleins de crème.

Mais, aux cris du gros plein de crème,
l'ogre a compris les intentions de la petite fille.
« C'est mon gâteau, c'est mon dessert !

C'est moi qui le mangerai !» rugit-il en faisant
une nouvelle fois demi-tour.
« Non mais, quelle bande de goinfres !»

Oh l'autre !
Gros goinfre toi-même ! Eh !

L'ogre reprend le loup qui – cette fois-ci,
ça y est ! – va pouvoir enfin se régaler.

Eh non! Le loup ne se régalera pas.
L'ogre est reparti avec Jeannine*.
Il est malin, l'ogre.

* Jeannine, c'est le nom de la petite fille. Le loup, c'est Dédé.
Le gâteau, on ne sait pas mais qu'importe, Jeannine va le manger.

Eh non ! Jeannine ne va pas le manger.
L'ogre est reparti avec lui. Il est malin, l'ogre.

Et hop! L'ogre débarque le gâteau et repart.
C'est gagné! Il ne lui reste plus qu'à ramener
Jeannine…

Mais que se passe-t-il ? Oh ! là là !
Le pauvre ogre… Ouille, ouille, ouille !
Ça c'est bête alors !

Philipp

L'ogre
la petite
et le

Loi numéro 49 956 du 16 juillet 1949 sur les publications
destinées à la jeunesse : avril 1995
Dépôt légal : janvier 2007
Imprimé en Italie par Editoriale Lloyd à Trieste
ISBN 978-2-211-03184-4